はじめに

　本書では、ジュニアアスリートのみなさんを対象に、走力をアップさせるためのさまざまなトレーニングを紹介しています。

　第1章と第2章で解説する正しいフォームなどの「テクニック」と、第3章で身につける走りの原動力となる「パワー（筋力）」は、ちょうど車の両輪のような関係であり、どちらが欠けても速く走ることはできません。

　第4章では、あらゆるスポーツで通用するスプリント能力、スピードスキルを手に入れましょう。球技系のスポーツでは、攻守の切り替え、カウンター攻撃、打球への反応など、試合中に何度も加速・減速を繰り返します。そこでターンやブレーキなど、スピードコントロールの技術が身につくトレーニングを中心に取り上げますので、ぜひ実践してください。

　ただし、成長期のみなさんだからこそ、大事な時期をケガで棒に振らないよう、練習量と強度には細心の注意を払いましょう。本書で紹介するトレーニングのなかで、毎日やるべきものは一つもありません。すべて週に一回、せいぜい週二回程度で十分です。その代わり、集中して取り組めば三カ月後には必ず効果が表れます。半年後、一年後には、誰にも負けないスピードが身につきますので、それまでは決してあせらずにトレーニングを続けてください。

スプリントスクール「石原塾」代表
石原 康至

動画付き改訂版
ジュニアアスリートのための走り方の強化書
スポーツに活きる走力アップのコツ

もくじ

第1章 テクニック基礎編 〜快速フォームを手に入れる〜 ... 17

解説 速く走ることができる快速フォームを身につける ... 18

1 基礎1 立位姿勢
正しい立位姿勢のまま体をそのまま傾けて走る ... 19

2 基礎2 腕振り
左右両腕の肘を前後に大きく振る ... 20

3 基礎3 足上げポーズ
腕の振りと連動させながら足をしっかり高く上げる ... 22

4 基礎4 足上げ歩行
歩くスピードでゆっくりと腕振り＆足上げ動作を覚える ... 24

5 基礎5 切り返し
左右の足を空中で入れ替える切り返し動作を覚える ... 26

6 基礎6 ツースキップ＆切り返し
左右の足を入れ替えながらツースキップで進む ... 28

7 基礎7 もも上げ
もも上げをしながら速い足の運びを覚える ... 30

8 フリースプリント基本
スキップで助走をつけて前傾姿勢で走る ... 32

第2章 テクニック応用編 〜高速ピッチ＆広いストライドを手に入れる〜 ... 33

解説 速く走るテクニックの2大要素は、「高速ピッチ」と「広いストライド」 ... 34

9 ストライドの基本1 レッグランジ
レッグランジの姿勢から地面を蹴って体を起こす ... 36

※本書は 2019 年発行の『ジュニアアスリートのための走り方の強化書 スポーツに活きる走力アップのコツ 55』を元に加筆・修正を行い、動画の追加、書名・装丁を変更して新たに発行したものです。

10 ストライドの基本2 マーク走
マーカーの距離を広げて**ストライドを大きく**する ……… 38

11 ピッチの基本1 マーク走
マーカーの距離を狭くして**足を素早く振り下ろす** ……… 40

12 ピッチの基本2 ミニハードル走
ミニハードルを使って**挟み込み動作を身に着ける** ……… 42

13 スタート① (構え)
すぐに一歩目が出るように**膝を深く曲げて構える** ……… 44

14 スタート② (一歩目)
頭から後ろ足が**斜め45度で一直線になる** ……… 46

15 スタート③ (二歩目)
一歩目の着地と同時に**膝を素早く前に出す** ……… 48

16 スタート④ (三歩目以降)
スピードに合わせて**体を徐々に起こしていく** ……… 50

17 スタートのリアクション&動き出し
スタート音に合わせて**力強く跳び出す** ……… 52

18 3点スタート
3点をついた状態から勢いよくスタートする ……… 54

19 クラウチングスタート
力強く飛び出せるように**両手両足の四点で支える** ……… 56

20 コーナリング前半
右足を外側に踏み出して**体の軸を内側に傾ける** ……… 58

21 コーナリング後半
体の軸を内側に傾けながらトップスピードを保ち続ける ……… 60

22 中長距離走のフォーム
ストライドを広げすぎず**母指球の後方で着地する** ……… 62

23 バトンリレー
次走者の手のひらに**バトンを当てて少し押す** ……… 64

24 フリースプリント応用
ピッチ&ストライドを意識しトラックを全力で走る ……… 66

第3章 パワー強化編　67
～爆発的なキック力&バネを手に入れる～

解説　スタートから爆発的なパワーで加速する ……… 68

25 初速強化①（コーンをまたぐ）
足の付け根の筋肉で片足ずつコーンをまたぐ ……… 70

26 初速強化②（コーンを越えて跳ぶ）
大きく両肘を開いてコーンを跳び越える ……… 72

27 初速強化③（ボール投げ→ダッシュ）
ボールを目で追わずに目線を落として飛び出す ……… 74

28 初速強化④（立ち幅跳び）
腕を振って伸び上がりできるだけ遠くへ跳ぶ ……… 76

29 チューブトレーニング①（もも上げ）
チューブで後ろに引っ張りその場でもも上げする ……… 78

30 チューブトレーニング②（スタートダッシュ）
チューブで負荷をかけて低い体勢のまま飛び出す ……… 80

31 上り坂①（もも上げ）
上り坂で体が傾かないようまっすぐにももを上げる ……… 82

32 上り坂②（スタートダッシュ）
平地より膝を深く曲げて勢いよくスタートを切る ……… 84

33 階段トレーニング
体重を母指球に乗せてテンポよく駆け上がる ……… 86

34 バウンディング
左右両足で交互に踏み切り長いジャンプを繰り返す ……… 88

35 ホッピング
片足でジャンプ&着地をして足のバネ力を強化する ……… 90

36 なわ跳び①（基本）
背筋を伸ばしてはずむように跳ぶ ……… 92

37 なわ跳び②（前へ移動）
一回のジャンプごとにできるだけ大きく跳ぶ ……… 94

38	ステップ台トレーニング
	足首を直角にして一歩ずつ上り下りする …… 96

39	スピードシュート
	体が左右にブレないように確実に地面をとらえて走る …… 98

40	手押し車
	速く走るのに不可欠な体幹と筋肉をきたえる …… 102

41	下腹部のエクササイズ
	速く走るパワーを生み出す腸腰筋をきたえる …… 104

第4章 スポーツ走力編 105
～動きの緩急やスピード持久を手に入れる～

解説	実戦をイメージしながら球技系のスプリント力を磨く …… 106

42	8の字走①（サイドステップ）
	細かいステップを刻んで小さくターンする …… 108

43	8の字走②（フロントステップ＆バックペダル）
	しっかり重心を落として進行方向を切り替える …… 110

44	8の字走③（通常ターン）
	体を内側に傾けて外側の足でかじを取る …… 112

45	タッチ＆ゴー
	二つ先の目標を見ながら最短距離で移動する …… 114

46	ジグザグジャンプ
	二つ先の進路を予測して素早く次のジャンプを跳ぶ …… 116

47	ランダムターン
	ペース配分を考えず常に全力でダッシュする …… 118

48	1対1のゲーム
	相手を左右に揺さぶり一気に抜き去る …… 120

49	N字走、M字走
	長い距離を走りながら的確にターンをする …… 122

50	シャトルラン
	しっかりと切り返しをしながらスピード持久力をきたえる …… 124

本書の使い方

本書は小中学生のジュニアアスリートを対象に、速く走るためのトレーニングを文章と写真で紹介しています。

タイトル
コツやポイントを具体的に説明しています。

トレーニング番号
第1章〜第3章まで、合計55のトレーニングを掲載しています。

動画
QRコードを読み取れば、YouTubeで動画を見ることができます。

トレーニング名
このページのトレーニングの内容です。

トレーニング強度・難易度
トレーニングの「強度」と「難易度」を、それぞれ三段階で表示しています。

ここが変わる!
トレーニングの効果が一目でわかります。「長所をさらに伸ばしたい」「弱点を補強したい」など、目的に合うトレーニングを選択してください。

練習量の目安
「小学校低学年」と「高学年以上(中学生を含む)」について、おおよそのトレーニング量を表示しています(※トレーニングの頻度は週一、二回が目安です)。

写真説明
写真の内容やトレーニングの手順を説明しています。

14
動画 2-05

スタート②(一歩目)

頭から後ろ足が斜め45度で一直線になる

ここが変わる!
一歩目でライバルに差をつける

トレーニングの強度 ★★☆
トレーニングの難易度 ★★★

練習量の目安
小学校低学年……スタートダッシュ×4本
高学年以上……スタートダッシュ×4本

右腕を後ろへ大きく振る

右膝を前に進めるイメージ

① 「用意」の構え。
② スタートの合図とともに飛び出す。

カコミ記事
正しいフォームを身につけるためのコツや注意点を3つの視点で解説しています。

動画の見方
①本書の誌面には、QRコードがついています。

②スマートフォンやタブレットなどでQRコードを読み取るとYouTubeで動画を見ることができます。

補助解説
おもに体の動かし方など補助的な解説です。

ポイント
とくに身につけてほしい重要な内容です。

全体を見たいときは以下のページへ。
すべての動画を見る　P127

【動画に関する注意事項】
◆動画は、動作の流れをイメージするものです。本書中の写真とはモデルの動きが若干異なる箇所がありますので、あらかじめご了承ください。
◆サーバー側のメンテナンスや更新等によって一時的にウェブサイトにアクセスできない場合があります。ご了承ください。
◆本動画は、家庭内での私的鑑賞用であり、スクール等のレッスンでの使用は禁じます。なお、本動画に関する全ての権利は著作権上の保護を受けております。権利者に無断でレンタル・上映・放映・複製・改作・インターネットによる配信をすることは、法律により固く禁じられています。

第2章　テクニック応用編　～高速ピッチ＆広いストライドを手に入れる～

一歩目を鋭く踏み出すポイントは、足を踏み出した瞬間、頭から後ろ足が斜め45度で一直線になることです。そのためにも低い体勢のままあごを引き、背筋をピンと伸ばして飛び出しましょう。また、一歩目の膝が伸びた状態で着地するとブレーキがかかってしまいます。そうならないために、膝がつま先あたりまで前に出た状態で着地するようにしましょう。

 **アドバイス**

絶対に上を向かない
スタートで低く構えていても、飛び出した瞬間にあごが上がると膝が伸びて棒立ちになります。鋭いスタートを切るためにも、必ず目線を落としてあごを引きましょう。

ポイント
頭から後ろ足まで一直線になるように、あごを引き、背筋を伸ばして飛び出す。

右足を前に踏み出す　　母指球で地面に着く

 低い体勢のまま右足を踏み出す。　　④ 右足が着地する。

すべてのスポーツに活かせる
走力を手に

入れよう！

➡ **スポーツ 走力編** P105
〜動きの緩急やスピード持久を手に入れる〜

　この本では最初に、速く走るための「テクニック」と「パワー」について学びます。そして、最終的には、さまざまなスポーツで活かせる走力に応用させていきます。
　速く走れる走力を手に入れたら、どのような競技で、どのように活かしたいのか、イメージをしっかりと持っておきましょう。

速く走るため

ストライド（歩幅） ＋ ピッチ（回転）

　速く走るための要素は、「ストライド（歩幅）」と「ピッチ（回転）」の2つです。
　ストライドは、足の歩幅のこと。速く走るためには、一歩を広く、伸びやかに出せるようにすることが必要です。
　ピッチは、足の回転のことです。足の運びをなめらかにし、回転を素早く行えるようにしましょう。
　この2つの要素はテクニックなので、練習をすることで向上させることができます。

の要素は2つ

➡ テクニック 基礎編 P17
〜快速フォームを手に入れる〜

➡ テクニック 応用編 P33
〜高速ピッチ&広いストライドを手に入れる〜

速く走るため
テクニック（ストライド ＋ ピッチなど）

　ストライドやピッチを改善して、速く走るためのテクニックを身につけることで、自分の持っているパワーを最大限に効率よく発きできるようになります。
　さらに速く走るためには、自分の持っているパワーを強化していくことが必要です。脚力や跳躍力をきたえることで、パワーを強化することができます。

の手段は
＋パワー強化

➡ **パワー強化編**　P67
〜爆発的なキック力＆バネを手に入れる〜

セルフチェック

自分の走り方を動画で撮って見てみよう！

まずは自分の走り方を動画でチェックし、どんな走り方をしているか見てみましょう。

STEP1 動画で自分の走り方を撮影する

正面や真横、ななめなど、いろいろな角度から、自分が走っているところを動画で撮ってみましょう。

STEP2 自分の走り方を見て、次のポイントをチェック

☐ 足が、かかとやつま先でついて、ブレーキがかかる。
☐ 腕のふりが小さかったり、左右にふったりしている。
☐ 体の姿勢が、前傾しすぎていたり、のけぞったりしている。
☐ スタートの出だしや、そもそも走る速度が遅い。
☐ 後半、体力がなくなり失速していった。

STEP3 自分に足りないところを特に強化する！

1〜3にチェックがついたら　　→テクニック基礎・応用編へ（P17・33）
4にチェックがついたら　　　　→パワー強化編へ（P67）
5にチェックがついたら　　　　→スポーツ走力編（P105）

第 1 章

テクニック基礎編
〜快速フォームを手に入れる〜

第1章では、"快足フォーム"を手に入れるために、ワンステップずつ段階を追いながらトレーニングを行っていきます。速く走るために、まず正しいフォームやテクニックを身につけましょう。

速く走ることができる快速フォームを身につける

　走る動作は、左右の足を空中で入れかえながら前進する動きです。快速で走るには、正しい姿勢、腕の振り方、足の運びをマスターすることが不可欠です。ここでは、まず「立位姿勢」「腕の振り」を学び、さらに「足の運び」をいくつかの段階に分けて学んでいきます。

速く走る極意 1　姿勢
まっすぐ立っているとき（立位姿勢）と同じように、背筋をまっすぐ伸ばす。

速く走る極意 2　腕の振り
大きく、力強く前後に振る。

速く走る極意 3　足の運び
ももを高く上げ、左右の足を滑らかに、素早く入れかえる。

1

動画 1-01

基礎1 立位姿勢

正しい立位姿勢のまま体をそのまま傾けて走る

　まず、立っているときの、正しい姿勢を知りましょう。全身の力を抜いた状態で、頭のてっぺんから糸で真上にひっぱられているようなイメージで立ちます。走っているときは、この姿勢をキープしたまま前傾している状態です。

ここをチェック！

背筋を伸ばす

背中がまがったり、そったりしないようにする。

×

ポイント
背筋をまっすぐ伸ばす。

基礎2　腕振り

左右両腕の肘を前後に大きく振る

ここが変わる！ 上半身で前に進む力を生み出す

- トレーニングの強度　★★★
- トレーニングの難易度　★★★

練習量の目安
小学校低学年…30秒×1回
高学年以上……30秒×1回

① 右肘を後ろへ、左肘を前へ振る。

指先を伸ばす

肘を完全には伸ばさない

P ポイント
両肘を前後に大きく振る。体をひねったり、肩を揺らしたりしない。

腕振りの練習は、足を動かさずに、その場で行います。左右両肘を前後に大きく振りますが、肘は完全には伸ばさないようにしましょう。「腕を振る」というより「肘をスイングさせる」とイメージすると、うまく力が抜けます。また、手のひらは開いて指を伸ばしましょう。こうすれば手をグーにして握るよりも肘が大きく振れるため、前に進む力も強くなります。

力が伝わらない振り方

左下の写真は、横方向に腕を振っているので力が分散してしまいます。右下の写真は、腕振りが小さいため、強い前進力を生むことができません。

② 左肘を後ろへ、右肘を前へ振る。

肩の力を抜く

基礎3 足上げポーズ

腕の振りと連動させながら
足をしっかり高く上げる

ここが変わる！ 腕の振りと、足の動きを連動させられる

トレーニングの強度　★ ★ ★
トレーニングの難易度　★ ★ ★

練習量の目安
小学校低学年…20m×4回
高学年以上……20m×6回

① 腕の振りに合わせて、足を高く上げる。

指先を伸ばす

背筋をまっすぐ伸ばす

Pポイント
足を軸足のひざの高さまで上げる

腕の振りに合わせて、足（太もも）を上げて、「足上げポーズ」の姿勢を取ります。一度、腰の前まで足を上げたら、しっかりとストップさせましょう。反対も同じようにして、リズミカルに、この動きを繰り返します。腕の大きく振る動きと、足を高く上げる動きの連動を、静止した状態で繰り返し行うことで体に覚えさせていきましょう。

ここを チェック！

上半身と支える足が一直線

足を上げたとき、支える足と上半身が一直線になるようにする。

② 腕の振りに合わせて、反対の足を高く上げる。

- 目線はまっすぐ
- ピタッと動きを止めた後、反対の動きへ移る
- つま先を下げない

第1章 テクニック基礎編 〜快速フォームを手に入れる〜

基礎4 足上げ歩行

歩くスピードでゆっくりと腕振り&足上げ動作を覚える

ここが変わる！ 正しい腕の振りと足の動きが身につく

- トレーニングの強度 ★☆☆
- トレーニングの難易度 ★☆☆

練習量の目安
- 小学校低学年……20m×4回
- 高学年以上………20m×6回

①
右腕を前へ、左足を前に上げる。

- 背筋をまっすぐ伸ばす

Pポイント 足を軸足のひざの高さまで上げる。

②
左腕を前へ、右足を前に上げる。

- 腕の振りは、引く意識を強く

実際に歩く速度で、腕の振りに合わせて、足（太もも）を高く上げて進んでみましょう。しっかり背筋を伸ばした正しい立位姿勢から、右腕が前のときは左足が前、左腕が前のときは右足が前という風に、手と足の動きを連動させていきましょう。ゆっくりと確実に、手足の正しい動きを体に覚えさせていきましょう。

ここをチェック！

左右交互に前へ

手足の動きは左腕＆右足、右腕＆左足の組み合わせで交互に前へ。右腕＆右足、左腕＆左足など、同じ手足が同時に前に来ないように注意しよう。

③ 右腕を前へ、左足を前に上げる。

腕が流れないように意識

④ 左腕を前へ、右足を前に上げる。

基礎5　切り返し

左右の足を空中で入れ替える
切り返し動作を覚える

ここが変わる！ 空中で素早く足を入れ変えられる

トレーニングの強度　★☆☆
トレーニングの難易度　★☆☆

練習量の自安
小学校低学年…20m×4回
高学年以上……20m×6回

① 右腕を前へ、左足を前に上げる。

② 左腕を前へ、右足を前に上げる。

背筋をまっすぐ伸ばす

腕の振りは、引く意識を強く

P ポイント
足を軸足のひざの高さまで上げる。

歩く動作と走る動作の違いは何でしょうか？　歩く動作は、左右の足のどちらかが地面についています。一方、走る動作は、左右の足を入れ替えるとき、宙に浮いた状態です。ここが大きな違いとなります。この空中の足の入れ替えの動きを「切り返し動作」と呼びます。連続で行うことで、走る足の動きの感覚をしっかりと身につけましょう。

ここをチェック！

正確な姿勢と動きを意識！

最初は静止した状態で、慣れてきたら前進してみましょう。ここでは急がず、ゆっくりとしたテンポで行うのが大切です。

01

02

03

前進

切り返し動作をしながらテンポよく前に進んでいく。

③ 右腕を前へ、左足を前に上げる。

腕が流れないように意識する

第1章　テクニック基礎編　〜快速フォームを手に入れる〜

基礎6　ツースキップ&切り返し

左右の足を入れ替えながらツースキップで進む

ここが変わる！ 左右の足の入れ替えが速くなる

トレーニングの強度　★★☆
トレーニングの難易度　★★☆

練習量の目安
小学校低学年…20m×4回
高学年以上……20m×6回

①
片足で一度スキップをする。

その場でスキップ

②
もう一度、前方向へスキップ。

しっかり踏み込む

③
左右の手足を入れ替える。

ポイント
素早く左右の足を入れ替える。

切り返し動作の応用として、ツースキップ&切り返しに挑戦しましょう。一度、その場で軽くスキップをしたあと、前方向に進むためにもう一度スキップをします。左右の手足をいれかえて着地し、反対も同じように行ないます。スキップのリズムで、前方向に進んでいきましょう。力強い踏み込みと、素早い足のピッチが身につきます。

逆の足で着地。同じように続ける。

ここをチェック！

足を素早く折りたたむ！

踏み込んだ足は、前方へ素早くまっすぐに運び、コンパクトに折りたたみます。

足を後方に跳ね上げたりせず、まっすぐの軌道で足を運ぶ。

7 基礎7 もも上げ
動画 1-07

もも上げをしながら速い足の運びを覚える

ここが変わる！ ピッチが速くなる

トレーニングの強度 ★★☆
トレーニングの難易度 ★★☆

練習量の目安
小学校低学年…20m×4回
高学年以上……20m×6回

① 右腕を前へ、左足を前へ。
② 左右を入れ替える。
③ 左腕を前へ、右足へ。

背筋をまっすぐ伸ばす

腕をしっかりと振り切る

P ポイント
ひざが伸びきるイメージで足を振り下ろす。

最初は、その場で止まったままの状態で、もも上げをします。左右の足を素早く入れ替え、しっかり腰の高さまでももを引き上げます。実際に走ることを想定して、できるだけ速く足を動かすのがポイントです。動きに馴れてきたら、実際にもも上げをしながら進み、速いピッチで足を動かす感覚を養っていきましょう。

ここをチェック！

背筋を伸ばし、もも上げ前進！

もも上げしながら前進するときは、体はまっすぐ背筋を伸ばします。速く進むことより、体をしっかり使うことを意識しましょう。

第1章 テクニック基礎編 〜快速フォームを手に入れる〜

④ 左右を入れ替える。

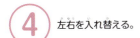

目線はまっすぐ

⑤ 右腕を前へ、左足を前へ。

ポイント
足を軸足のひざの高さまで上げる。

フリースプリント基本

スキップで助走をつけて前傾姿勢で走る

最初は、スキップで助走をつけて、途中から前傾姿勢となり、素早く、かつ、正確に足を腰の高さまで動かすことを意識しながら走ります。10mほど走ったら力をゆるめます。慣れてきたら少しずつ距離を伸ばしていきましょう。

トレーニングの強度 ★★☆
トレーニングの難易度 ★★☆

練習量の目安
小学校低学年…20m×4回
高学年以上……20m×6回

① スキップをする。

背筋をまっすぐ伸ばす

② 体を前傾させていく。
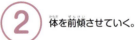

目線は下を向く

③ 最初は5mほど走り、力をゆるめる。

ポイント
体を前傾させて、走る。

第2章

テクニック応用編
～高速ピッチ＆広いストライドを手に入れる～

第2章では、速く走るテクニックの2大要素である「高速ピッチ」と「広いストライド」について紹介します。さらに、スタートやコーナーリングなど、速く走るためのテクニックを取り上げます。

速く走るテクニックの2大要素は、「高速ピッチ」と「広いストライド」

速く走るためのテクニックで特に重要なのは、「ピッチ（歩数）」と「ストライド（歩幅）」です。

「ピッチ」は、足の回転を速くすることで、高速で動かすことで、一歩がさらに速くなります。

「ストライド」は足の幅を広くすることで、広い歩幅を意識することによって一歩の距離が広がります。

この2つのテクニックを極めることが、速く走れるようになる近道です。

速く走る極意 1

高速ピッチ（歩数）

何よりも、まず大切なのは姿勢。背筋を伸ばし、前方をまっすぐ見ます。さらに、左右の足を素早く振り下すイメージで振っていきましょう。

①

背筋を伸ばしながら、やや前傾姿勢で、足を振り下ろすように回転させる。

速く走る極意 ❷

広いストライド（歩幅）

つま先やかかとから着地すると、推進力が弱くなります。着地は母指球で行い、後方に向かってしっかり蹴り地面から反発力をもらいながら伸びやかに走りましょう。

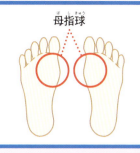
母指球

母指球で着地。かかとやつま先で着地すると、推進力が弱くなる。

しっかりと推進力を作りながら、一定の歩幅をキープして走る。

9 ストライドの基本1　レッグランジ

動画 2-01

レッグランジの姿勢から地面を蹴って体を起こす

ここが変わる！ 走るときのストライドが広がる

トレーニングの強度　★★☆
トレーニングの難易度　★☆☆

練習量の目安
小学校低学年…30秒×1回
高学年以上……30秒×1回

① 背筋を伸ばして立つ。
② 左足を前に出す。
③ 足をついて沈み込む。

Pポイント　軸足で上半身を前に押し出す。

大きく一歩を踏み出す

レッグラウンジは、強い太ももを作るトレーニングとして一般的に行われますが、ここでは歩幅を広げるストライドの練習として用います。

ポイントは、軸足で地面を蹴って、上半身を前に押し出して、前進することです。反対の足も同様に行います。力強く地面を蹴り、足を伸びやかに使う感覚を養いましょう。

ここをチェック！

軸足で前に押し出す

軸足の母指球で地面をしっかり蹴って、上体を前に進めます。

地面を蹴って、前に進む。

④ 地面を蹴って、上体を起こす。

⑤ 右足を前に出す。

⑥ 足をついて沈み込む。

背筋を伸ばす

まっすぐ体をあげる

10 ストライドの基本2　マーク走

マーカーの距離を広げてストライドを大きくする

ここが変わる！
ストライドが広がり伸びやかなフォームになる

トレーニングの強度　★★☆
トレーニングの難易度　★★☆

練習量の目安
小学校低学年……マーカー5～6個分の距離×4回
高学年以上………マーカー5～6個分の距離×6回

① 助走をつけてスタートし、左足で飛ぶ。

助走は10mくらいとる

ジャンプしてしまう様なら、広すぎるため、少しマーカーの間隔を狭くする。狭すぎて、上手く走れない場合は、半足長（10cm程度）ずつ広げていく

② 右足でマーカーの真ん中に着地。

足で地面を押して、身体を前に運ぶイメージで走る

Pポイント
マーカーのちょうど真ん中あたりに着地する。

38

マーカー（マーク）を使ってストライドを広げる練習をします。マーカーを5〜6個並べ、10mほど助走をつけて全力で駆け抜けましょう。マーカーの間隔は小学校低学年が4〜5足長（子どもの足）、高学年以上が5〜6足長（子どもの足）を目安に少しずつ距離を伸ばします。マーカーとマーカーの真ん中に着地し、ストライドが一定になっているか確認しましょう。

これもやってみよう

ミニハードルでやってみよう

ミニハードルを使うと、高さが出るので、よりトレーニングの難易度がアップします。

ひざをしっかり上げる意識が身につく。

③ 右足で飛んで、左足でマーカーの真ん中で着地。

目線はまっすぐ前を見る

④ 左足で飛んで、右足で着地する。

歩幅をかせぐようにして前足を振り出す走り方は、スピードが出ないので注意！

ピッチの基本1　マーク走

マーカーの距離を狭くして足を**素早く振り下ろす**

ここが変わる！　足が速く動くようになる

トレーニングの強度　★★★
トレーニングの難易度　★★★

練習量の目安
小学校低学年……マーカー 5～6個分の距離×4本
高学年以上………マーカー 5～6個分の距離×4本

① 助走をつけてスタートし、左足で飛ぶ。

- 助走は 10m くらいとる
- 腕の振りは、引く意識を強く
- つま先を下げすぎない

② 右足でマーカーの真ん中に着地。腕の振りに合わせて、足を高くあげる。

- マーカーのちょうど真ん中あたりに着地する

ストライドを広げることができたら、次は上半身の動きはそのままで、足の動きを速くするトレーニングです。マーカーの間隔は小学校低学年が80cm、高学年以上は100cmが目安。適性の幅よりマーカーの距離を狭くすることで、足を素早く振り下ろすイメージを描き、ピッチを意識して全力で走りましょう。上半身の正しい姿勢もキープしましょう。

快足アドバイス

背筋を伸ばして前を見る

下を向くと背中が曲がるだけでなく、2番目の写真のように足が膝より前に出た状態で着地しやすくなります。こうなると走りにブレーキがかかるので注意しましょう。

背筋を丸めて走っている。

③ 右足で飛んで、左足でマーカーの真ん中で着地。

ポイント
背筋を伸ばし、目線は前方へ。左足を素早く振り下ろすイメージを描く。

④ 左足で飛んで、右足で着地する。

足は垂直に振り下ろす　　母指球で着地

12 ピッチの基本2 ミニハードル走

ミニハードルを使って挟み込み動作を身に着ける

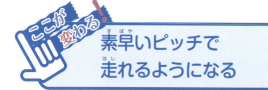
素早いピッチで走れるようになる

トレーニングの強度　★★★
トレーニングの難易度　★★★

練習量の自安
小学校低学年…ハードル5〜6個分の距離×4回
高学年以上……ハードル5〜6個分の距離×4回

① 助走をつけ、ミニハードルを飛ぶ。右足で着地。

助走は10mくらいとる

② 左足で着地。さらに、ミニハードルを飛ぶ。

身体の前で、右と左の足が入れかわる

Pポイント
ミニハードルの間を2回着地する。

ミニハードルを使ってピッチを速くする練習をします。ミニハードルを5〜6個並べ、10mほど助走をつけて全力で駆け抜けましょう。ミニハードルの間隔は小学校低学年が160〜240㎝、高学年以上200〜280㎝が目安です。

このトレーニングでフォーム作りは完成です。まだしっくりこない場合は、気になる項目を重点的に取り組んでください。

ここをチェック！

高速ピッチで駆ける

左右の足を入れ替えながら、テンポよくミニハードルを飛んでいきましょう。

素早いピッチで駆け抜けよう。

③ 左足で飛んで、右足で着地する。

最初の足を、次の足が追いかけるイメージで

目線はまっすぐ前を見る

④ 左足で着地。さらに、ミニハードルを飛ぶ。

母指球で着地

13 スタート①（構え）
動画 2-05

すぐに一歩目が出るように膝を深く曲げて構える

ここが変わる！ 正しい構え方が身につく

トレーニングの強度　★★★
トレーニングの難易度　★★☆

練習量の自安
小学校低学年……正しい構えが身につくまで
高学年以上………正しい構えが身につくまで

Pポイント
腰を落とし、前足・後ろ足ともすぐに地面を蹴り出せるように深く曲げる。

あごを引いて目線を落とす

スタートラインを踏まない

つま先の位置まで膝を前に出す

① 「位置について」まではリラックスして立つ。

② 「用意」で構えに入る。前の足にしっかり体重をかける。

ここではスタンディングスタートについて解説します。正しい構え方が身につけば、低い体勢で飛び出すことができるようになるので、写真を参考にしながら繰り返し練習しましょう。

スタートのイメージを描く

低い体勢から斜め45度付近に向けて飛び出すイメージを持ちましょう。このページでは悪い構え方の例を四つ紹介しますので、各ポイントをチェックしてみてください。

✕ 両膝ともに伸びて棒立ちになっている

✕ 後ろ足の膝が伸びている

✕ あごが上がり、目線が上を向いている

✕ 前足と後ろ足の間隔が近すぎるため腰が浮いている

スタート②（一歩目）
頭から後ろ足が斜め45度で一直線になる

ここが変わる！ 一歩目でライバルに差をつける

トレーニングの強度 ★★☆
トレーニングの難易度 ★★★

練習量の目安
小学校低学年……スタートダッシュ×4本
高学年以上………スタートダッシュ×4本

① 「用意」の構え。

右腕を後ろへ大きく振る

右膝を前に進めるイメージ

② スタートの合図とともに飛び出す。

一歩目を鋭く踏み出すポイントは、足を踏み出した瞬間、頭から後ろ足が斜め45度で一直線になることです。そのためにも低い体勢のままあごを引き、背筋をピンと伸ばして飛び出しましょう。また、一歩目の膝が伸びた状態で着地するとブレーキがかかってしまいます。そうならないために、膝がつま先あたりまで前に出た状態で着地するようにしましょう。

絶対に上を向かない

スタートで低く構えていても、飛び出した瞬間にあごが上がると膝が伸びて棒立ちになります。鋭いスタートを切るためにも、必ず目線を落としてあごを引きましょう。

ポイント
頭から後ろ足まで一直線になるように、あごを引き、背筋を伸ばして飛び出す。

右足を前に踏み出す

母指球で地面に着く

③ 低い体勢のまま右足を踏み出す。

④ 右足が着地する。

15 スタート③（二歩目）
一歩目の着地と同時に膝を素早く前に出す

動画 2-05

ここが変わる！ 一歩目の勢いを次につなげる

トレーニングの強度　★★☆
トレーニングの難易度　★★★

練習量の目安
小学校低学年…スタートダッシュ×4本
高学年以上……スタートダッシュ×4本

Pポイント
低い体勢を保ったまま、左足の膝を素早く前に出すイメージを描く。

 右足で一歩目の着地。

 左の膝を低く前に出す。

一歩目は自然に踏み出す必要がありますが、二歩目は低い体勢を維持するために、ストライド（歩幅）を少し狭くします。一歩目が着地すると同時に、二歩目の足の膝を素早く前に出し、そこから鋭く振り下ろしましょう。ここで一歩目と同じようなストライドで踏み出すと、体が急に立ち上がってブレーキがかかりますので注意してください。

フォームがくずれる原因

目線が上を向くとあごも一緒に上がり、低い体勢で飛び出せなくなります。また、二歩目が大きくなると、やはり体が起き上がりやすくなるので注意しましょう。

一歩目よりもストライドを狭くする

母指球で着地

③ 左足を鋭く振り下ろす。

④ 左足が着地する。

16 スタート④（三歩目以降）

スピードに合わせて体を徐々に起こしていく

動画 2-05

ここが変わる！ 最初の十数メートルを低い体勢で走れる

- トレーニングの強度 ★★★
- トレーニングの難易度 ★★★

練習量の目安
小学校低学年…20m×4本
高学年以上……20m×6本

P ポイント
スピードに乗ってくるとともに目線を上げ始め、少しずつ体を起こしていく。

目線は落としたまま

歩幅はとくに意識しなくても速度が上がるにつれて広がる

 スタートから五歩目。

 スタートから八歩目。

スタートしてから三歩目以降も低い体勢を維持して走りますが、スピードが乗ってくるにつれて徐々に体を起こすようにします。ジュニア選手の場合、トップスピードに達するまで十数mは必要ですので、それまでは低い体勢で走り抜けるようにしてください。一つの目安として、スタート地点から15m付近までには体を起こすようにしましょう。

最後にあごを離す

15m付近までは徐々に体を起こし、トップスピードに乗ったらあごを体から離して目線を前に向けましょう。ただし、写真のようにあごを上げすぎるのはマイナスです。

あごは引いたまま

徐々に体を起こしていく

③ スタートから九歩目。

④ スタートから十歩目。

スタートのリアクション&動き出し

スタート音に合わせて
力強く跳び出す

スタートで出遅れない

トレーニングの強度　★ ★ ★
トレーニングの難易度　★ ★ ★

練習量の目安
小学校低学年……30秒×1回
高学年以上……30秒×1回

腕の振り

① 写真のような姿勢で構える。

② 音が鳴ったら、腕を振る。これを繰り返す。

短距離走では、スタートの出足で勝負が決まってしまうこともあります。ここでは、「腕の振り」と「全身の跳び出し」の2種類のスタートの跳び出しを練習します。「腕の振り」では、コーチが手をたたく音に合わせて腕を振る練習です。「全身の跳び出し」は、手をたたく音に合わせて、腕と足の両方を使い跳び出します。

快足アドバイス

腕から動かすイメージ

まず腕を動かす意識を持つと、体と足が連動して、跳び出しやすくなります。

①手→②足の順番を意識。

全身の跳び出し

① スタートの姿勢で構える。

ポイント 実際のスタートの形で、構えをとる。

② 音が鳴ったら、一歩踏み出す。

腕から動かすイメージ

18 3点スタート

動画 2-07

3点をついた状態から勢いよくスタートする

ここが変わる！ スタートの速度が速くなる

- トレーニングの強度 ★★★
- トレーニングの難易度 ★★★

練習量の目安
小学校低学年…不向き
高学年以上……20m×6回

① 3点スタートの構えをとる。腕を振り、地面を蹴り、スタートする

ポイント
ついた腕を引き、後ろの腕を前に振る

背筋を伸ばす

前足の角度が90度

3点スタート（片手スタート）は、両足と片手を地面につけた姿勢で行うスタート方法です。主に、低い姿勢から走り出して、スピードをつけるための練習として用いられますが、実際のスポーツの中で使われることもある動きです。しっかりと背筋を伸ばした状態から、左右の腕をしっかりと振って、スタートするのがポイントとなります。

正しい姿勢で構える

3点スタートの姿勢は、バランスをくずしやすいので、正しい姿勢を意識して行いましょう。
正しい姿勢をとることで、しっかりと地面を蹴って、前に進む力を作り出すことができます。さらに、その力を無駄なく、走る力として利用できます。
ポイントとなるのは「頭を下げる」「前の足の角度は45度」「後ろの足は緩める」といった部分です。以上の点を、しっかり意識しましょう。

後ろ足がピンと伸びきってしまっている。

頭があがっている。前足の角度も広がり過ぎている。

19 クラウチングスタート

力強く飛び出せるように
両手両足の四点で支える

ここが変わる！ クラウチングスタートでライバルに差をつける

トレーニングの強度　★★☆
トレーニングの難易度　★★★

練習量の自安
小学校低学年…不向き
高学年以上……20m×6回

① 「位置について」の形の自安。

② 「用意」の声とともに、しっかり形を作る。

Pポイント
左右両手は地面に対して垂直、前足の膝は直角、後ろ足の膝は120度が自安。

前足より一足長分（足の大きさ）後ろに

二足長分（足の大きさ×2）の距離をとる

クラウチングスタートで力強く飛び出すコツは、「用意」の形をしっかり作ることです。ポイントは両手両足の角度にあります。左右両手は垂直、前足の膝は直角、後ろ足の膝は120度が目安です。そしてスタートの合図とともに、45度の角度で低く飛び出しましょう。ただし、小学校低学年は四点で体を支えられないため、クラウチングスタートには不向きです。

ここをチェック！
足の位置と角度を再確認

左下の写真は、手と前足の距離が近すぎます。右下の写真は、とくに後ろ足が伸びているため、足に力が入りません。また、アゴが上がると低く飛び出せなくなります。

③ スタートを切る。

④ 低く飛び出す。

体の軸は45度を目安に

両足で地面（またはスターティングブロック）を強く押す

20 コーナリング前半

動画 2-09

右足を外側に踏み出して体の軸を内側に傾ける

ここが変わる！
トップスピードのままコーナーをクリアできる

トレーニングの強度 ★★☆
トレーニングの難易度 ★★★

練習量の目安
小学校低学年……コーナー×4本
高学年以上………コーナー×6本

Pポイント
右足をやや外側に向けて踏み出す。

 直線をまっすぐに走る。

 コーナーの入り口で体を傾け始める。

コーナーでは、外から内に入り込むようにします（アウト・イン）。このとき目線は、コーナーの中間地点あたりを見ながら、右足を外側に踏み出して、体を内側に傾けます。このような動きと意識で、弧の形をしたトラックを最短距離でトップスピードを落とさずに走ることができます。

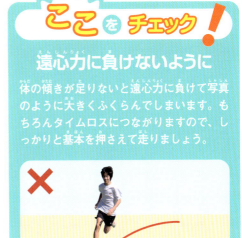

ここをチェック！

遠心力に負けないように

体の傾きが足りないと遠心力に負けて写真のように大きくふくらんでしまいます。もちろんタイムロスにつながりますので、しっかりと基本を押さえて走りましょう。

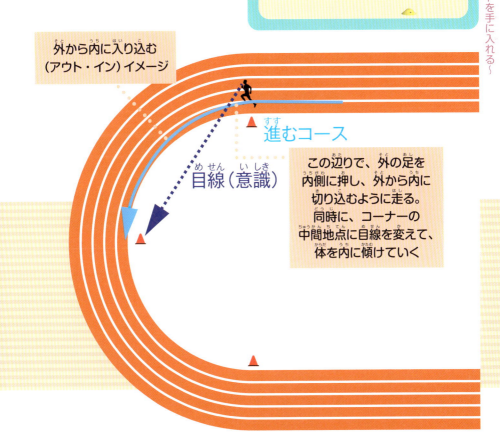

外から内に入り込む（アウト・イン）イメージ

進むコース

目線（意識）

この辺りで、外の足を内側に押し、外から内に切り込むように走る。同時に、コーナーの中間地点に目線を変えて、体を内に傾けていく

21 コーナリング後半
動画 2-10

体の軸を内側に傾けながらトップスピードを保ち続ける

ここが変わる！ トップスピードのままコーナーをクリアできる

トレーニングの強度 ★★☆
トレーニングの難易度 ★★★

練習量の自安
小学校低学年……コーナー×4本
高学年以上………コーナー×6本

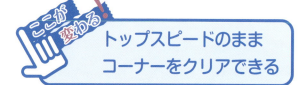

Pポイント
右足は体の軸のやや外側に着地。さらに右腕を外側に振って体を内側に傾ける。

コーナー出口まで体の傾きを一定に

① 体を完全に内側へ倒して走る。

② トップスピードを維持して走る。

コーナーの後半では、目線はコーナー出口へ。右足をやや外側に着地し、右腕を外側に振ってバランスを保ち、外にふくらむのをふせぎながら、体を内側に傾けます。コーナーの出口では、内側の足（左足）で、外に向かって押し出し、内に傾いた体を起こします。直線では、目線をゴールに向けましょう。

快足アドバイス

アウト・イン・アウトで走る

コーナーの全体を見ると、外から入って、内側を走り、外を走ります（アウト・イン・アウト）。これは、もっとも速く走れるコーナリングラインです。

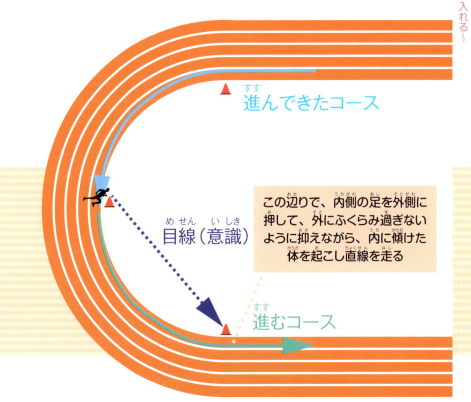

進んできたコース

目線（意識）

この辺りで、内側の足を外側に押して、外にふくらみ過ぎないように抑えながら、内に傾けた体を起こし直線を走る

進むコース

22 中長距離走のフォーム

ストライドを広げすぎず
母指球の後方で着地する

ここが変わる！ 中長距離走のタイムを縮められる

トレーニングの強度	★★☆
トレーニングの難易度	★☆☆

練習量の目安
小学校低学年…800m×1本
高学年以上……1200m×1本

① 左足を前に出す。

② 左足で着地する。

- 肩の力を抜いて肘を前後に振る
- 目線はまっすぐ前方へ
- 体の軸をまっすぐに
- ストライドを広げすぎない

Pポイント
母指球の後方に体重を乗せ、地面からの反発力を生かして次の足を出す。

長距離走ではストライドをあまり広げず、肩の力を抜いて両肘を前後に振ると、疲労がたまりにくいフォームになります。筋力を無駄に消費しないために母指球（P35参照）の後方で着地し、地面から大きな反発力をもらって足を踏み出しましょう。また、疲れてくると空気を吐く量が多くなるため、意識して多めに吸って呼吸のバランスを整えてください。

母指球の後方で着地する

つま先やかかとから着地するとブレーキがかかってしまうため、足に余計な負担がかかって疲労がたまりやすくなります。必ず母指球の後方で着地しましょう。

③ 右足を前に出す。

④ 右足で着地する。

疲れてきたら意識的に空気を多めに吸う

母指球の後方で着地

同じリズムで走り続ける

23 バトンリレー

動画 2-12

次走者の手のひらにバトンを当てて少し押す

ここが変わる！ トップスピードのままバトンをリレーできる

トレーニングの強度　★★
トレーニングの難易度　★★★

練習量の目安
小学校低学年…確実に受け渡しができるまで
高学年以上……確実に受け渡しができるまで

①
現走者との間合いをはかり、次走者が走り始める。

- バトンの下側を持つ
- コースの左端を走る
- コースの右端を走る

②
現走者のかけ声とともに、次走者は後ろに手を伸ばす。

- 現走者に手のひらを見せ、ブレないように固定する

二人一組でバトンの受け渡しを練習しましょう。お互いにトップスピードのまま、現走者がかけ声を出すと同時に、次走者は後ろ（事前に決めておいた位置）に左手を伸ばします。このとき次走者は手のひらを現走者にしっかり見せましょう。そして現走者は、次走者の手のひらの中心にバトンを当てるだけでなく、少し前に押してあげることで確実に渡しましょう。

ここをチェック！

目線を落とさない

少しでも早くバトンを渡そうと体を伸ばしたくなる気持ちはわかりますが、下を向くのだけはやめましょう。次の走者にしっかりと受け渡せなくなってしまいます。

③

バトンを受け渡す。

ポイント
トップスピードを維持したまま、次走者の手のひらにバトンを当てて少し押す。

④

受け渡しが終わり、次走者はそのまま走り始める。

腕の振りをもとに戻す

24 フリースプリント応用

動画 2-13

ピッチ&ストライドを意識しトラックを全力で走る

ピッチを速く回転させることや、ストライドを広くとることを意識しながら、トラックを全力で走ってみましょう。さらに、スタートの姿勢や意識、トラックのまわり方も注意しましょう。

トレーニングの強度　★★★
トレーニングの難易度　★★★

練習量の目安
小学校低学年…50m×2回
高学年以上……50m×3回

① 力強くスタートする。

② 正しいフォームを意識して、スピードにのって走る。

P ポイント
高速ピッチと広いストライドを意識しながら走る。

目線はまっすぐ、背筋を伸ばす

第3章

パワー強化編
~爆発的なキック力&バネを手に入れる~

第3章では、スピードアップを図るための筋力トレーニングを紹介します。
速く走るためには正しいフォームだけでなく、
それにともなったパワーをつけなくてはいけません。
ただし、筋トレには常にリスクがともないますので、
ケガに注意して取り組みましょう。

スタートして直後は、爆発的なパワーで加速する

速く走るためには、正しいフォームや走り方のテクニックだけでは、どうしても限界があります。速く走るために、絶対的に求められてくるのは、「パワー」です。

とくに、スタート直後は、自分の体を力技でトップスピードに乗せるだけのパワーが必要になります。

ここでは、速く走るためのパワーをつけるためのトレーニング方法を紹介していきます。ケガに注意しながら取り組むことも大切です。

速く走る極意 1

爆発力で加速する

スタートしてからトップスピードまでは、筋肉によるパワーを最大限に発揮させながら加速することが大切です。

スタートしたら、前傾姿勢で、地面を蹴り推進力を手に入れる。

速く走る極意 ❷
バネのような跳躍力で走る

ただ硬い筋肉を作るのではなく、バネのような柔軟性のある使える筋肉を育てることで、パワーを効率よく走る力に変えられます。

②

速度が出てきたら、少しずつ体を起こしていく。

③

トップスピードで走り続ける。

25 初速強化①（コーンをまたぐ）

動画 3-01

足の付け根の筋肉で片足ずつコーンをまたぐ

ここが変わる！ 足の付け根が強くなり一歩目の出足が速くなる

トレーニングの強度　★★★
トレーニングの難易度　★★★

練習量の目安
小学校低学年……10秒×2回（左右両足）
高学年以上………20秒×2回（左右両足）

Pポイント
膝の動きではなく、腹筋と足の付け根筋で足を引き上げるように意識する。

かかとが浮かないように

① 左足で外側から内側へコーンをまたぐ。

② 左足を内側へ振り下ろす。

レギュラーサイズのコーン（高さ70cm）を片足でまたいで足の付け根を鍛えます。コーンを体の前に置いて、外側から内側→内側から外側へと足を往復させますが、軸足の支持筋も鍛えるために途中で足を着地させないようにします。これを左右両足で一回ずつ行いましょう。ポイントは足の付け根筋や腹筋など、体幹部の大きな筋肉で足を引き上げることです。

これもやってみよう
コーンを横に置いてまたぐ

コーンを体の横に置くと、ちょうどハードルを越えるような足の動きになります。このトレーニングでは、足の付け根の筋肉の柔軟性を養うことができます。

第3章 パワー強化編 〜爆発的なキック力＆バネを手に入れる〜

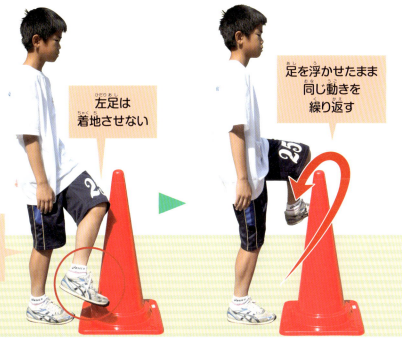

左足は着地させない

足を浮かせたまま同じ動きを繰り返す

軸足の支持筋も鍛えられる

③ 軸足（右足）の近くへ来たら反対方向へまたぐ。

④ 内側から外側へコーンをまたぐ。

初速強化②（コーンを越えて跳ぶ）

大きく両肘を開いて コーンを跳び越える

ここが変わる！ スタートで伸び上がり 強く地面を押し出せる

トレーニングの強度　★★★
トレーニングの難易度　★★★

練習量の目安
小学校低学年…3回
高学年以上……4回

両肘は体の前に

Pポイント
足の裏全体で地面を強く押して跳ぶ。肘を大きく開き、全身の筋肉を使うこと。

目線はなるべく上げる

腕で体を持ち上げるイメージでジャンプする

① 両足をそろえて膝を曲げる。

② 全身を使って高くジャンプ。

レギュラーサイズのコーン（高さ70cm）を両足ジャンプで跳び越えます。万が一、足が引っかかってもケガをしないように、二つ並べたコーンの真ん中を通るように跳びましょう。ジャンプの瞬間は、肘を後ろへ大きく引き、全身を使って高く跳んでください。ただし、失敗すると危険ですので、小学校低学年の人は、もう少し低い障害物で練習してください。

ここをチェック！

下を向かないこと

跳ぶ瞬間に怖がって下を向くと、写真のように体が「くの字」に曲がります。すると上半身が邪魔になって高く跳べなくなってしまうので注意しましょう。

第3章 パワー強化編 〜爆発的なキック力&バネを手に入れる〜

足を体に素早く引きつける

接地したとき、地面の反発力をもらって、次のジャンプをする

③ 体を前傾姿勢にして、両足を曲げる。

④ 両足で着地する。

27 初速強化③（ボール投げ→ダッシュ）

ボールを目で追わずに目線を落として飛び出す

ここが変わる！ 低い体勢のまま飛び出すことができる

トレーニングの強度　★★☆
トレーニングの難易度　★★☆

練習量の目安
小学校低学年……10m×6本
高学年以上………10m×10本

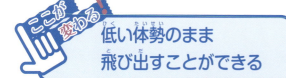

P ポイント
ボールの方向を目で追わない。ボールの軌道と体の角度は、ほぼ平行になる。

膝を曲げて低い体勢で構える

足の裏で強く地面を押す

 両手でボールを持ち、足の間に持ってくる。

 ボールを斜め上に放り投げる。

ボールを下手で斜め前方へ放り投げる動きは、スタートダッシュの動きに近いと言えます。そこでこのトレーニングではスタートの瞬間をイメージし、全身を使って思いきりボールを投げてください。ただし、ボールの方向を目で追ってはいけません。体が起き上がらないように目線を落とし、ボールを投げたときの動きを出足の一歩目につなげて全力で走りましょう。

ここをチェック！

ボールの方向は無視する

慣れないうちは、ついボールを目で追ってしまいがちですが、そうするとスタート直後に体が起きてしまいます。必ず目線を落としたままスタートを切りましょう。

第3章 パワー強化編 ～爆発的なキック力&バネを手に入れる～

あごを引いて目線を落とす

③ 左足で一歩目のスタートを切る。

④ 低い体勢のまま走り出す。

28 初速強化④（立ち幅跳び）

動画 3-04

腕を振って伸び上がりできるだけ遠くへ跳ぶ

ここが変わる！ 全身を使って飛び出す瞬発力が身につく

トレーニングの強度　★★☆
トレーニングの難易度　★★☆

練習量の目安
小学校低学年…4回
高学年以上……6回

両腕を後ろへ振って勢いをつける。

 膝を深く曲げ、低い体勢で構える。

 両腕を前に振って跳ぶ準備をする。

初速強化トレーニングの仕上げとして、道具を使わず自分の力だけで遠くへ跳びます。動き方は、立ち幅跳びと同じです。上半身と下半身が同時に伸び上がるようにしましょう。ポイントは、低い体勢から両腕を思いきり振り上げ、全身を使って大きくジャンプすることです。スタートの瞬間、全身の力を爆発させるようなイメージを描きながらトレーニングしましょう。

これもやってみよう
足を前後にずらして跳ぶ

両足を前後にずらすことで、実際の短距離走のスタートのイメージに近くなります。両方の足の裏で同時に地面を押して、同じように立ち幅跳びをしましょう。

第3章 パワー強化編 ～爆発的なキック力&バネを手に入れる～

ポイント
両腕を思いきり振り上げ、伸び上がりながら全身の力を使ってジャンプする。

③ 大きくジャンプする。

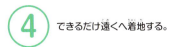
④ できるだけ遠くへ着地する。

29 チューブトレーニング① （もも上げ）

動画 3-05

チューブで後ろに引っ張り その場で**もも上げ**する

ここが変わる！ 太ももの筋肉が鍛えられる

トレーニングの強度　★★☆
トレーニングの難易度　★☆☆

練習量の目安
小学校低学年……10秒×1回
高学年以上………20秒×1回

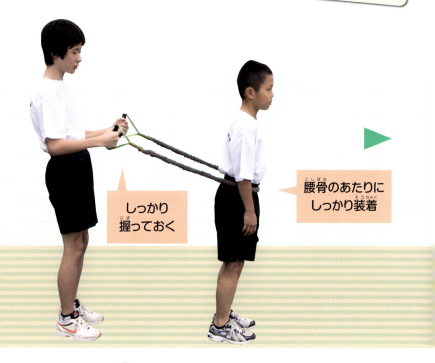

しっかり握っておく

腰骨のあたりにしっかり装着

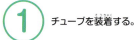

① チューブを装着する。

チューブを使った二人一組のトレーニングです。後ろの人はチューブをしっかり握り、後方へ引っ張ります。前の人は、その負荷に負けないように軸足で体をまっすぐに支えながら、その場ではずむようにもも上げをします。もも上げのポイントとなるのは、一方の足は膝を前に出すイメージ、もう一方は母指球（P35参照）で着地することです。

ここをチェック！
前傾姿勢にならない

前傾姿勢になって無理に前に進もうとしたり、下を向いて背筋が曲がったりすると、もも上げを繰り返すうちにバランスがくずれるため、効果が半減してしまいます。

- 強く引っ張って負荷をかける
- まっすぐに前を見る
- 両腕をしっかり振る
- 母指球で着地する

Pポイント
後方への負荷に負けないように軸足で踏ん張り、はずむようにもも上げをする。

② その場でもも上げを開始。

30 チューブトレーニング②（スタートダッシュ）

チューブで負荷をかけて低い体勢のまま飛び出す

ここが変わる！ スタート時の瞬発力がアップする

練習量の目安
小学校低学年…20m×4本
高学年以上……30m×4本

トレーニングの強度　★★☆
トレーニングの難易度　★☆☆

頭を下げて低い体勢をとる

両膝は曲げておく

① スタンディングスタートで「用意」の構え。

今度はチューブを使ってスタートダッシュの瞬発力をきたえるトレーニングです。前の人は、スタートの合図がかかると同時にしっかりと腕を振り、スタンディングの姿勢から全力で前に踏み出しましょう。後ろの人は、チューブをしっかり握って支えますが、とくに後ろへ引っ張る必要はありません。前の人とともに、少しずつ前方へ移動していきましょう。

ここをチェック！

目線を下げて前に進む

このトレーニングの目的は、スタートダッシュの瞬発力を鍛えることです。写真のように、あごが上がるとスタートの練習にならなくなってしまうので注意しましょう。

負荷をかけながら少しずつ前に移動する

両腕をしっかり振る

体の角度を斜め45度に

ポイント
あごを引いて目線を落とし、体を斜めに傾けたまま母指球で地面を強く押す。

② スタートを切る。

31 上り坂①（もも上げ）

上り坂で体が傾かないよう まっすぐにももを上げる

ここが変わる！　太ももの筋肉がより強化される

トレーニングの強度　★★★
トレーニングの難易度　★★☆

練習量の目安
小学校低学年…10m×3本
高学年以上……20m×3本

ポイント
左足は膝を素早く前に出し、右足は母指球で斜面を押して進む。

背筋をまっすぐ伸ばす

① しっかり腕を振ってもも上げを開始。

② 左足のももを上げる。

ある程度、急な上り坂を利用するトレーニングは、平地よりもはるかに負荷が上がります。もも上げの基本的なコツは18〜19ページで解説した通りですが、上り坂では体が後ろに傾きやすいので、重力に逆らって体を垂直に保ちます。そして背筋をピンと伸ばし、もも上げをしながら斜面を上りましょう。

これもやってみよう
スキップで坂道を上る

さらに負荷を上げるために、斜面をスキップで上ってみましょう。もも上げと同じように体をまっすぐにして進みます。

つま先を下げすぎない

③ 左足を下ろす。

 左足で着地する。

※車が通る道でトレーニングを行ってはいけません。歩行者専用のスロープなど、必ず安全な場所を選びましょう。

32 上り坂②（スタートダッシュ）

動画 3-08

平地より膝を深く曲げて勢いよくスタートを切る

ここが変わる！ スタート時に使う筋肉がよりきたえられる

トレーニングの強度　★★★
トレーニングの難易度　★★☆

練習量の目安
小学校低学年… 10m×4本
高学年以上…… 20m×4本

頭を下げて低く構える

あごを引いて目線を落とす

平地よりも深く膝を曲げる

① スタンディングスタートで「用意」の構え。

② 低い体勢のままスタートを切る。

平地より負荷のかかる斜面でスタートダッシュを行います。スタート地点では平地よりも深く膝を曲げて構えないと、勢いよく飛び出すことができません。ここでは、とくに重要な一歩目までの連続写真を掲載していますが、二歩目以降は36〜39ページを参考にして、10〜20mほど駆け抜けましょう。

ここをチェック！
つま先だけで着地しない

上り坂ではつま先から着地しやすくなりますが、このトレーニングの目的は、あくまでもスタートダッシュです。必ず平地と同じように、母指球で着地してください。

Pポイント
あごを引いて背筋を伸ばし、大きく踏み出す。頭から後ろ足まで一直線になる。

母指球で地面に着く

③ 左膝を引きつける。

④ 一歩目の左足が着地する。

※車が通る道でトレーニングを行ってはいけません。歩行者専用のスロープなど、必ず安全な場所を選びましょう。

33 階段トレーニング

動画 3-09

体重を母指球に乗せて
テンポよく駆け上がる

ここが変わる！ 体重を足に乗せて進む感覚を覚える

トレーニングの強度　★★☆
トレーニングの難易度　★★☆

練習量の目安
小学校低学年……20段×3本
高学年以上……30段×3本

① 階段を上り始める。

目線を下に落とさない

② 左足を上げる。

このトレーニングの目的は筋力アップとともに、片足ずつ体重を乗せてはずむように前へ進む感覚を養うことです。平地では身につけるのが難しいため、ぜひこの練習を取り入れましょう。ポイントはできるだけ体をまっすぐに保ち、母指球（P35参照）へ体重を乗せることです。その上で、着地の反動を利用しながら駆け上がってください。

ここをチェック！
目線はなるべく前方へ
下を向くと背中が曲がるため、階段を踏み外さない程度に目線を上げましょう。

ポイント
母指球に体重を乗せ、その衝撃を生かしてはずむように次の段へ進む。

③ 左足で着地。

④ 右足を上げて次の段へ進む。

34 バウンディング

動画 3-10

左右両足で交互に踏み切り長いジャンプを繰り返す

ここが変わる！ 跳躍力が高まりストライドが伸びる

トレーニングの強度　★★★
トレーニングの難易度　★★★

練習量の目安
小学校低学年…10m×2本
高学年以上……20m×2本

Pポイント　腕を大きく振って体を引き上げ、できるだけ遠くへ跳ぶように意識する。

あごを引いてまっすぐ前を見る

① 助走をつけて左足で踏み切る。
② 大きく前へジャンプする。

バウンディングとは、一歩一歩を跳ねるようにして前に進んでいくトレーニングのことです。おもに足腰の大きな筋肉がきたえられ、跳躍力を高めるには最適の練習です。また、股関節や肩の関節など、大きく体を使う感覚も身につけることができるでしょう。ただし、足にかかる負荷が高く、安易に繰り返すとケガにつながってしまいますので、十分に注意してください。

ケガをしないために!

負荷が強いトレーニングをする際は特に、指導者や両親など、大人がいるところで行うようにし、負荷を上げるときは同意を得てからにしましょう。無理なトレーニングはケガに直結するので、限界を感じたら必ず大人に伝えましょう。

第3章 パワー強化編 〜爆発的なキック力&バネを手に入れる〜

背筋を伸ばす

足の裏全体で着地して体重を乗せる

③ 右足で着地する。

④ そのまま右足で踏み切る。

35 ホッピング

動画 3-11

片足でジャンプ&着地をして足のバネ力を強化する

ここが変わる！ 跳躍力が高まる

トレーニングの強度　★★★
トレーニングの難易度　★★★

練習量の目安
小学校低学年…不向き
高学年以上……10m×2本

① 左足でジャンプする。

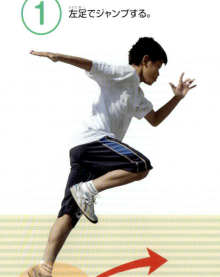

片足でジャンプ

② 左足で着地する。

跳んだ足で着地

さきほどのバウンディングは、両足で行いましたが、ここで取り組みホッピングは、片足のみでジャンプと着地を行います。片足ずつ強化したり、苦手な足を集中的にきたえたり、さまざまなトレーニングのやり方が可能です。

足にかかる負荷がさらに高まり、効果的なトレーニングが行えますが、低学年のうちは控えましょう。

③ 着地とともに、左足でジャンプ。

快足アドバイス

成長には時間がかかる!

筋トレの効果は、「週1〜2回のトレーニングで、3ヵ月後からようやく表れ始める」と考え、あせらずにコツコツ続けてください。

体調が優れなかったり、疲労が残っていたりする日は絶対に無理をせず、中止するか軽めのトレーニングにしましょう。

道具類を使う場合は、しっかり点検し、正しい使い方を心がけることが、成長やケガの予防につながります。

まだ体ができていないジュニアアスリートは、大きなケガにつながりやすいので、とくに無理なトレーニングは禁物。

Pポイント
着地と同時にジャンプする。

第3章 パワー強化編 〜爆発的なキック力&バネを手に入れる〜

なわ跳び①（基本）

背筋を伸ばして
はずむように跳ぶ

ここが変わる！
地面からの反発力を感じ取れるようになる

トレーニングの強度　★ ☆ ☆
トレーニングの難易度　★ ☆ ☆

練習量の目安
小学校低学年…70回
高学年以上……100回

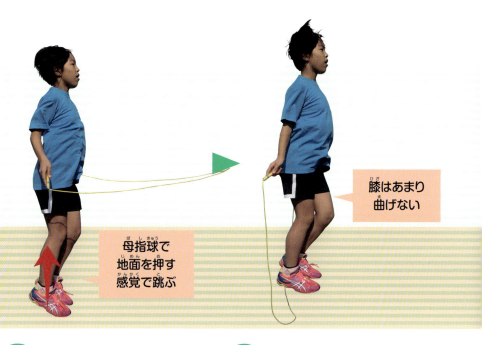

膝はあまり曲げない

母指球で地面を押す感覚で跳ぶ

① 両足でジャンプする。

② なわを跳び越える。

なわ跳びは正しいフォーム作りの基礎となるトレーニングです。背筋を伸ばし、膝をあまり曲げずに母指球（P35参照）で着地すると、地面から大きな反発力を感じるはずです。この衝撃を感じつつ、母指球で地面を"押す"感覚で、はずむようにテンポよく跳び続けてください。両足跳びに慣れてきたら、片足跳び、両足二重跳び、片足二重跳びにも挑戦してみましょう。

姿勢に注意しよう

左下の写真は、背筋が曲がり、つま先で着地しています。右下の写真は、跳ぶときに膝を曲げすぎています。正しい姿勢で跳び続けられるように練習してみましょう。

ポイント
背筋をしっかり伸ばし、膝をあまり曲げずに母指球で着地する。

③ 着地の準備。

④ 母指球で着地する。

37 なわ跳び②（前へ移動）

一回のジャンプごとにできるだけ大きく跳ぶ

ここが変わる！ 母指球で地面を押して前に進む感覚が身につく

トレーニングの強度　★★☆
トレーニングの難易度　★★☆

練習量の目安
小学校低学年……20m×1本
高学年以上……30m×1本

バランスをくずさないように体全体で踏ん張る

① なわを跳び越える。

② 母指球で着地する。

今度は同じ場所で跳び続けるのではなく、一回ごとに前方へ大きく跳ぶことにより、母指球（P35参照）で地面を押しながら前に進む感覚を養います。ジャンプの角度は45度を目安に、できるだけ遠くへ跳ぶように心がけてください。その場で跳ぶよりも地面から受ける衝撃が大きくなるため、バランスをくずさないように体全体で踏ん張るようにしましょう。

これもやってみよう

片足で支える力を養う

写真のように片足跳びで前に進むと、片足で体重を支える力が養われます。また、両足跳びで後進、片足跳びで後進など、いろいろな跳び方にも挑戦してみましょう。

Pポイント
ジャンプの角度は斜め45度を目安に、できるだけ大きく跳ぶようにする。

③ 再び跳ぶ体勢へ。

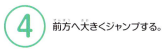
④ 前方へ大きくジャンプする。

38 ステップ台トレーニング

動画 3-14

足首を直角にして一歩ずつ上り下りする

スピード持久力を養う

トレーニングの強度　★★☆
トレーニングの難易度　★☆☆

練習量の目安
小学校低学年……30秒×1回
高学年以上………60秒×1回

踏み台昇降

ポイント
体をまっすぐにして足首を直角に保ち、足にしっかりと体重を乗せて上る。

目線を下に落とさない

足はステップ台の真ん中へ

① 右足、左足の順にステップ台に乗せ両足で立つ。

 左足、右足の順に下し、両足で立つ。

96

ステップ台を使い、できるだけ速いスピードで踏み台昇降の動きを繰り返しましょう。専用の台がなくても段差が20cm以上あれば、ほかのもので代用できます。左右どちらの足から動き出してもよいので、着地のときは必ず足首を直角にし、体重をしっかり乗せるようにしてください。また、ケガを防ぐためにも、必ずステップ台の中央に着地するようにしましょう。

これもやってみよう 4つの応用を紹介！

ここでは踏み台使ったトレーニングを方法を、さらに4つ紹介します。踏み台の高さ上げるとケガをしやすくなります。慣れるまでは低い高さから始めましょう。

両足ジャンプ
Pポイント：両膝を深く曲げて着地の衝撃を吸収すると同時に、後ろへ跳ぶ準備もしておく。

段違いジャンプ
Pポイント：両腕を思いきり振り上げて体を引き上げるとともに、左右両足で同時に跳ぶ。

両足開閉ジャンプ
Pポイント：着地した位置からブレないように、足の外側の筋肉を使ってしっかり踏ん張る。

着地→ダッシュ
Pポイント：母指球で着地すると同時に地面を押し、衝撃のエネルギーを前に伝える。

39 スピードシュート

体が左右にブレないように
確実に地面をとらえて走る

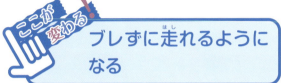

ここが変わる！ ブレずに走れるようになる

トレーニングの強度 ★★★
トレーニングの難易度 ★★☆

練習量の目安
小学校低学年……20m×6本
高学年以上……20m×8本

① スタートを切る。

前傾姿勢をとって低く飛び出す

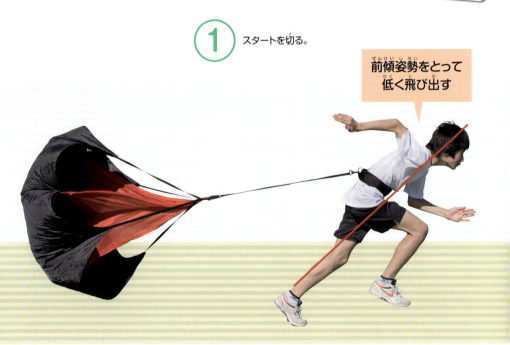

スポーツ用品店などで手に入るスピードシュート（トレーニング用パラシュート）を使って全力ダッシュをします。スピードに乗るとスピードシュートが不規則に動くため、真後ろへの空気抵抗に加えて体が左右に揺さぶられます。この力に負けないようにまっすぐ走ることにより、体を支持する筋肉がきたえられ、バランスのよい走りを身につけることができます。

これもやってみよう
コース上にマーカーを置く

1〜1.5mおきにマーカーコーンを一直線上に置いて走ってみましょう。体が左右にブレないよう、できるだけマーカーの真上を通過するようにしてください。

第3章 パワー強化編 〜爆発的なキック力＆バネを手に入れる〜

 スピードに乗ってまっすぐ走る。

前後左右、不規則に動く

ポイント
不規則な方向からの空気抵抗に負けないよう、しっかり地面をとらえて走る。

40 手押し車

速く走るのに不可欠な体幹と筋肉をきたえる

ここが変わる！ ストライドが広がり伸びやかなフォームになる

トレーニングの強度　★★★
トレーニングの難易度　★★☆

練習量の目安
小学校低学年……10m×2本
高学年以上……20m×2本

① 両手を地面につき、足を持ち上げてもらう。

背筋を伸ばす

手押し車の主な効果は、腕の筋トレではなく、体幹トレーニングです。走るときに身体のバランスをとったり、力強い走りをしたりするための強じんな身体を作ります。

さらに、手押し車を行うことで、太ももの前後、腹筋、背筋、肩のまわりの筋肉など、走るために欠かせない全身の筋肉をきたえることにもつながります。

これもやってみよう
片足手押し車に挑戦!

片足だけをもつ応用編です。よりバランスを取るのが難しいため、体幹への効果がアップします。

 前方に、手を動かして進む。

ポイント
体の一直線に支え、姿勢をキープしながら進む。

41 下腹部のエクササイズ
動画 3-17

速く走るパワーを生み出す
腸腰筋をきたえる

ここが変わる
ストライドが広がり伸びやかなフォームになる

トレーニングの強度　★★★
トレーニングの難易度　★★★

練習量の目安
小学校低学年……20回・20秒×3トレーニング
高学年以上………30回・30秒×3トレーニング

下腹部トレーニング01　ハイタッチ

 腹筋の姿勢で、両手を伸ばす。

まっすぐ両腕を伸ばす

二人一組で行う

速く走るうえで最も重要な筋肉のひとつが、下腹部にある腸腰筋です。腸腰筋は、上半身と下半身をつなぐ筋肉です。走るうえでは、太ももを持ち上げる役割もあり、まさに速く走るためのパワーを生み出す筋肉と言えます。

下腹部には体を支える重要な筋肉が他にもたくさんあります。ここでは3つの下腹部トレーニングを紹介します。

快足アドバイス

腸腰筋は3つの筋肉からなる

腸腰筋は、大腰筋、小腰筋、腸骨筋という3つの筋肉の総称です。下腹部に大きく広がる筋肉なので、下腹部全体をまんべんなくきたえましょう。

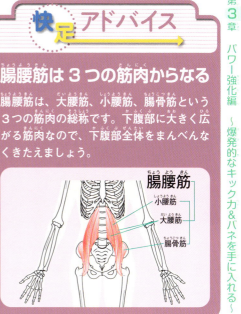

第3章 パワー強化編 〜爆発的なキック力&バネを手に入れる〜

② 上体を起こしながら、手にタッチする。

ポイント
タッチする位置は、ぎりぎりとどく高さにする。

下腹部トレーニング02
レッグ・トス

① 足を押し出してもらう。

② 足をゆっくりおろす。

③ 地面ぎりぎりでキープし、上にあげていく。

①の姿勢にもどり、繰り返す

下腹部トレーニング03
V字バランス

① V字の姿勢でキープ。

20〜30秒キープ

これもやってみよう
V字バランスの応用

トレーニング3のV字バランスをやりながら、さらに足を上下に動かすと、効果がアップします。

第4章

スポーツ走力編
～動きの緩急やスピード持久を手に入れる～

ここでは、おもに球技系のスプリント（短距離を何度も走る）の力を磨くための4つの極意
「予測能力」「ターンの技術」「一歩の速さ（俊敏性）」「スピード持久力」
を高めるためのトレーニング方法を紹介していきます。

実戦をイメージしながら
球技系のスプリント力を磨く

サッカー、フットサル、野球、テニス、バスケットボールなどの球技系スポーツでは、予測不能かつ不規則なスプリント（短距離の全力疾走）を連続して行います。あらかじめ走るコースが決まっている陸上競技とは、まったく違う能力が求められます。ここでは、おもに球技系のスプリント力をより効果的に磨くための4つの極意を解説し、そのトレーニング方法を紹介します。

速く走る極意 2
ターンの技術
速く走るだけでなく、相手をほんろうするストップやターンの技術を身につけましょう。

速く走る極意 ①
予測能力

実戦の中で次に何が起こるのかを予測したり、最短距離を予測したり、頭を使いながら走ります。

速く走る極意 ③
一歩の速さ(俊敏性)

コンマ1秒の差が、得点や失点につながり、天国と地獄を分けます。

速く走る極意 ④
スピード持久力

トップスピードを長く維持しながら、繰り返し全力で走れる力が求められます。

42 8の字走①（サイドステップ）

ターンの技術　一歩の速さ

細かいステップを刻んで小さくターンする

ここが変わる！ 横方向への移動が速くなる

トレーニングの強度　★ ☆ ☆
トレーニングの難易度　★ ☆ ☆

練習量の目安
小学校低学年…20秒×1回
高学年以上……30秒×1回

最短距離で移動するために、細長い8の字を意識して回りましょう。また、矢印の方向だけでなく、逆方向も練習してください。

 サイドステップでコーンまで横移動する。

細かくステップする

2mほど距離をとってミニコーンを立て、サイドステップで8の字を描きながら左右両方向への横移動を繰り返します。ミニコーン付近では小さく回り、最短距離で移動しましょう。ターンのコツは、重心を下げて細かくステップを踏むことです。この練習はターンのときに縦横の移動が含まれるため、単純な反復横跳びよりも、より実践的な動きが身につきます。

ここを チェック！

大回りしないように

ステップの幅が大きすぎたり、重心が高いためブレーキがうまくかからなかったりすると、ターンが大きくふくらんでしまうので注意しましょう。

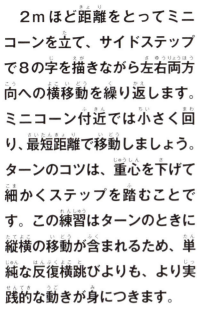

② ミニコーン付近で急ブレーキをかける。

③ 小さくターンして逆方向へ進路を変える。

ポイント
ターンする場所で重心をぐっと落とし、外側の足でしっかりブレーキをかける。

左足はミニコーンのすぐ近くを通す

43 8の字走②（フロントステップ&バックペダル）

しっかり重心を落として進行方向を切り替える

前後に素早く移動できる

トレーニングの強度　★ ★ ★
トレーニングの難易度　★ ★ ★

練習量の目安
小学校低学年…20秒×1回
高学年以上……30秒×1回

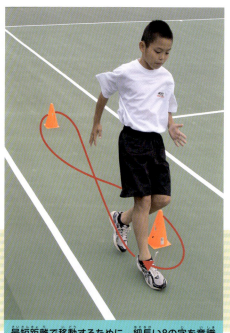

最短距離で移動するために、細長い8の字を意識して回りましょう。また、矢印の方向だけでなく、逆方向も練習してください。

細かくステップを踏む

① フロントステップでコーンまで移動する。

82〜83ページのサイドステップと同じように、2mほど距離をとってミニコーンを立てます。ここでは体の向きを変えずにフロントステップ（通常のダッシュ）とバックペダルだけで移動を繰り返しましょう。ミニコーン付近ではきっちり重心を落としてブレーキをかけ、素早く方向転換しながら走る軌道がなるべく小さな「8の字」を描くようにしてください。

ここをチェック！

止まる場所を予測する

写真のようにミニコーン付近で遠心力に負けて大きくふくらまないためにも、どこで止まるか（どこに軸足を置くか）を、ある程度予測しながら移動しましょう。

ポイント
しっかりと重心を落としてブレーキをかけ、素早く進行方向を切り替える。

右足はミニコーンのすぐ脇を通す

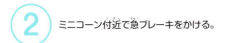
② ミニコーン付近で急ブレーキをかける。

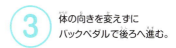
③ 体の向きを変えずにバックペダルで後ろへ進む。

44 8の字走③（通常ターン）
動画 4-03

`ターンの技術` `一歩の速さ`

体を内側に傾けて外側の足でかじを取る

ここが変わる！
鋭いターンができるようになる

- トレーニングの強度 ★☆☆
- トレーニングの難易度 ★☆☆

練習量の目安
小学校低学年…20秒×1回
高学年以上……30秒×1回

最短距離で移動するために、細長い8の字を意識して回りましょう。また、矢印の方向だけでなく、逆方向も練習してください。

ストライドは小さく

① コーンまで走る。

サイドステップとフロントステップ&バックペダルの8の字走では、おもにブレーキを利かせる感覚を養いました。ここではその仕上げとして、体の向きが常に進行方向を向く通常のターンを繰り返しましょう。鋭くターンするコツは、体を内側に傾けて、右回りなら左足、左回りなら右足をやや外側に踏み出し、ブレーキを利かせながら進路のかじ取りを行うことです。

ここをチェック！
手前でふくらむ必要はない

このトレーニングは、あくまでも小さくターンすることが目的なので、野球のベースランニングのようにミニコーンの手前で大きくふくらんで走ってはいけません。

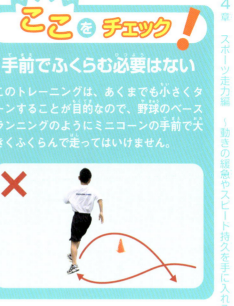

体を内側に傾ける

ポイント
左足をやや外側に踏み出し、ターンがふくらまないようにコントロールする。

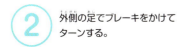

② 外側の足でブレーキをかけてターンする。

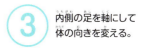

③ 内側の足を軸にして体の向きを変える。

45 タッチ&ゴー　予測能力　ターンの技術

二つ先の目標を見ながら最短距離で移動する

動画 4-04

ここが変わる！ 最短距離を予測して素早く移動できる

トレーニングの強度　★★☆
トレーニングの難易度　★★☆

練習量の目安
小学校低学年…10m×2本
高学年以上……20m×2本

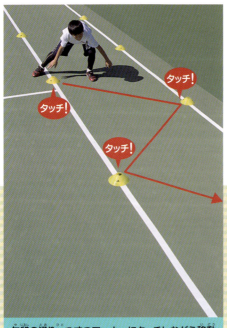

矢印の通り一つずつマーカーにタッチしながら移動を繰り返します。常に二つ先のマーカーを視界にとらえ、最短距離をイメージしてください。

目線を上げて二つ先のマーカーを確認

① マーカーにアプローチする。

ジグザグにマーカーを並べたら、一つずつマーカーにタッチしていきます。このトレーニングの狙いは、常に二つ先の目標を目で確認し、最短距離の軌道を予測しながら移動することにあります。この予測→移動を繰り返しトレーニングすることによって、球技系のスポーツでも、目標に対していち早く予測を立てて動き出す習慣を養うことができます。

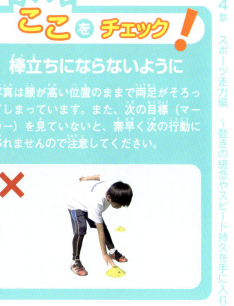

ここをチェック！

棒立ちにならないように

写真は腰が高い位置のままで両足がそろってしまっています。また、次の目標（マーカー）を見ていないと、素早く次の行動に移れませんので注意してください。

×

ポイント
目の前のマーカーに手を伸ばすと同時に、目と足は次のマーカーに向ける。

② マーカーにタッチする。

タッチ！

③ 次のマーカーへ移動。

腰を浮かさず細かくステップする

46 ジグザグジャンプ

予測能力 ターンの技術

二つ先の進路を予測して素早く次のジャンプを跳ぶ

ここが変わる！ 体幹が強化されて切り替えが鋭くなる

トレーニングの強度 ★★☆
トレーニングの難易度 ★★☆

練習量の目安
小学校低学年…10m×2本
高学年以上……20m×2本

マーカーの左側から右側、右側から左側へと、左右交互に斜めジャンプを繰り返しながら一つずつ進みましょう。

体は常に正面を向く

① マーカーの左側から右側へ斜めにジャンプする。

30cm間隔でマーカーコーンを一直線に並べ、両足ジャンプでジグザグに進みます。体幹をきたえるため、大きなジャンプではなく、できるだけ低く速いジャンプを繰り返しましょう。ただし、目の前のジャンプだけに気を取られると、次のジャンプの始動が遅れてしまいます。常に二つ先の進路を予測し、着地と同時に素早く次のジャンプの体勢に移ってください。

これもやってみよう
ジャンプの距離を伸ばす

写真のようにマーカーコーンを二列に並べて幅を広げてみましょう。このトレーニングではジャンプの距離が伸びる分、より体幹の筋力アップにつながります。

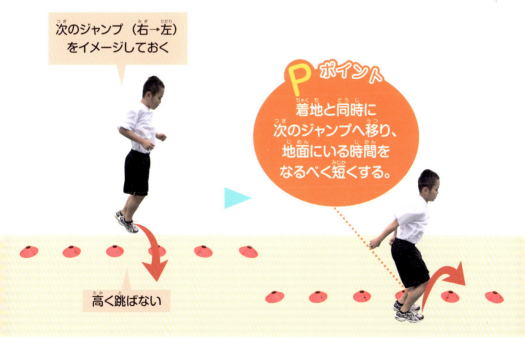

次のジャンプ（右→左）をイメージしておく

ポイント
着地と同時に次のジャンプへ移り、地面にいる時間をなるべく短くする。

② 低いジャンプで素早く移動する。

高く跳ばない

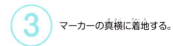

③ マーカーの真横に着地する。

47 ランダムターン

動画 4-06

ターンの技術 / スピード持久力

ペース配分を考えず
常に全力でダッシュする

ここが変わる！ 試合終了まで スピードが衰えなくなる

トレーニングの強度　★★★
トレーニングの難易度　★★★

練習量の目安
小学校低学年……ターン5回分×1本
高学年以上………ターン9回分×1本

スタート地点にミニコーンを置き、5～10m間隔で色違いのマーカーを並べます。第三者は毎回ランダムに色（ターンの順序）を指定しましょう。

「黄色→ミニコーン→白」と指定された場合

重心を落として体の軸を傾ける

大腿部で止まるイメージを持つ

後ろ足を次の進行方向に向けて止まる

① 黄色マーカーで180度ターンをする。

スタート直前、第三者がターンの順序を色で指定します。走者は一度だけ経路を確認し、すぐにスタートを切りましょう。こうしてペース配分を考える余裕がなく、常に全力で走ることで"スピード持久力"が養われます。とくに球技系では予測不能なダッシュを繰り返すので、それと似た状況を作り出し、可能な限り全力疾走を維持させる、というわけです。

これもやってみよう
サイドステップで練習する

サイドステップでも同様にトレーニングしてみましょう。これを繰り返せば内転筋がきたえられ、たとえば試合終了まで粘り強いディフェンスができるようになります。

「180度ターン」の基本通りに折り返す

Pポイント
疲れてきても適当に折り返さず、基本をしっかり押さえてターンをする。

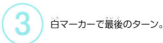

② ミニコーンで180度ターンをする。　③ 白マーカーで最後のターン。

1対1のゲーム　一歩の速さ　ターンの技術　予測能力

動画 4-07

相手を左右に揺さぶり一気に抜き去る

ここが変わる！ 相手の動きを見ながらフェイントをかけられる

トレーニングの強度　★★★
トレーニングの難易度　★★★

練習量の目安
小学校低学年……攻撃・守備を5回ずつ
高学年以上………攻撃・守備を5回ずつ

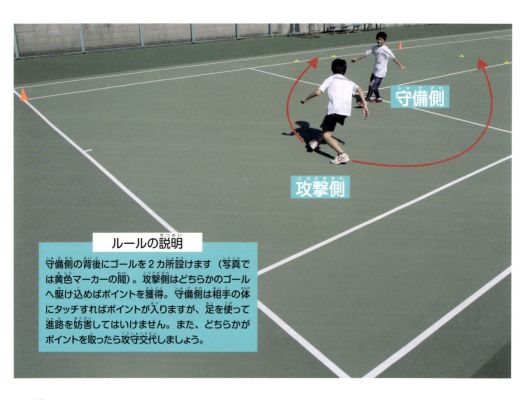

守備側
攻撃側

ルールの説明
守備側の背後にゴールを2カ所設けます（写真では黄色マーカーの間）。攻撃側はどちらかのゴールへ駆け込めばポイントを獲得。守備側は相手の体にタッチすればポイントが入りますが、足を使って進路を妨害してはいけません。また、どちらかがポイントを取ったら攻守交代しましょう。

10〜15m四方のスペースのなかで攻撃と守備に分かれ、1対1のゲームを行います。攻撃側はフェイントをかけて相手を揺さぶり、隙を見つけて一気に抜き去りましょう。

後ろのスペースも活用する

自分の左右だけでなく、後ろのスペースも活用しましょう。たとえば、いったん後ろに下がって相手を誘い出してから一気に抜き去るなど、自分なりに工夫しましょう。

 左側へフェイントをかける。

攻撃側 / 守備側

大きな動きで相手をだます

 重心を落として急ブレーキをかける。

相手の動きをよく見る

 相手の体重が右足に乗ったところで一気に抜け出す。

ポイント
一度のフェイントだけで抜こうとせず、何度も揺さぶりをかけて隙を作り出す。

一気にゴールを目指す。

低い体勢で飛び出す

49 N字走、M字走　ターンの技術　スピード持久力

動画 4-08

長い距離を走りながら的確に**ターン**をする

スピード持久力と
ターンの技術が身につく

トレーニングの強度　★★★
トレーニングの難易度　★★☆

練習量の目安
小学校低学年……N字×3本、M字×3本
高学年以上………N字×5本、M字×5本

N字走

① 10mの正方形の四隅にコーンを4つ配置。Nの形になるように、コーンの外側を走る。

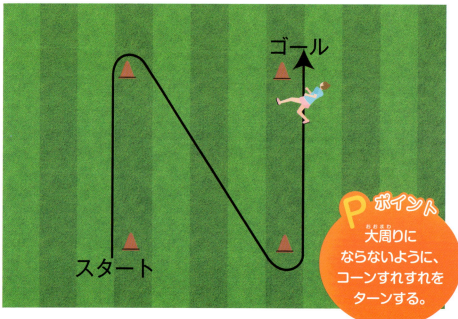

ポイント
大周りにならないように、コーンすれすれをターンする。

ここでは10mの正方形の四隅にコーンを置いて、そこをNの形になるように走るN字走。さらにもう1つコーンを加えてMの形になるように走るM字走を紹介します。

長めの距離を走ることでスピード持久力をきたえながら、同時にターンの技術を習得できる、様々な球技で求められる能力を磨くトレーニングです。

ここをチェック！
コーンすれすれをターン

コーンを大回りすると、移動する速さが遅くなります。コーンすれすれをコンパクトにターンすることが大切です。

M字走

 さらに、中央にもう1つコーンを加える。Mの形になるように、コーンの外側を走る。

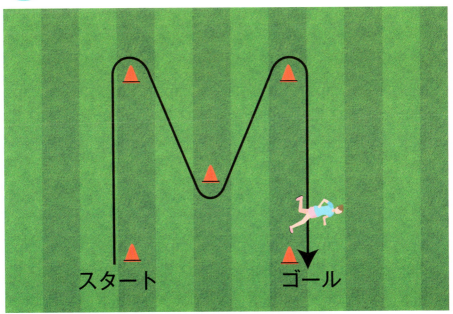

シャトルラン　ターンの技術　スピード持久力

しっかりと切り返しをしながらスピード持久力をきたえる

ここが変わる！ 長時間、走り続けられるスピード持久力が身につく。

トレーニングの強度　★★★
トレーニングの難易度　★★☆

練習量の目安
小学校低学年…5往復×6本
高学年以上……5往復×10本

① コーンの位置からスタートし、反対のコーンに到達したら、切り返して戻る。

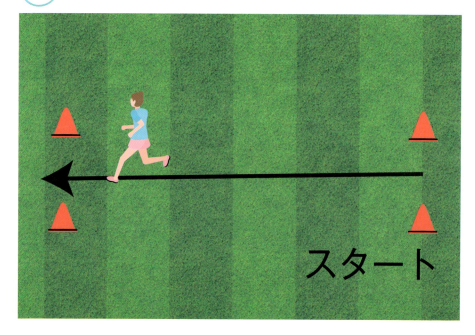

20mの距離を、ターン（切り返し）をしながら往復するトレーニングです。主に、スピード持久力をきたえるトレーニングとして用いられますが、ターンの力も同時に養うことができます。

走る速度は、全速力ではなく、最後まで走り切れる速さで行います。最初は少なめの往復回数や本数にしておいて、体力がついてきたら増やしましょう。

快足アドバイス

スムースに切り返す！

バランスの良い体の重心（頭や足の位置）を意識しながら、切り返しのターンをスムースに行いましょう。

② 切り返し＆ランを繰り返し、5往復終わったらゴールする。

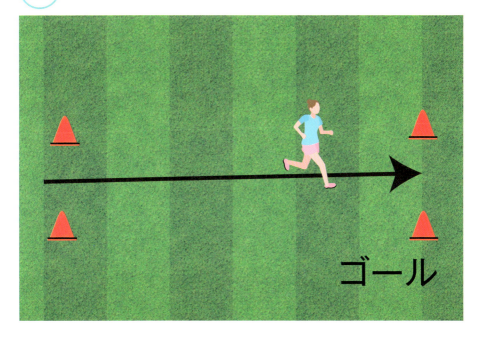

スプリントスクール「石原塾」

　2011(平成23)年9月に開校。
　陸上競技(短距離・中距離・長距離・走り幅跳び・三段跳びなど)をはじめ、サッカー、フットサル、野球、バスケットボール、ハンドボール、バレーボール、テニス、ラグビーなど、種目や目的に応じてトレーニングの内容を構成。それぞれのスポーツシーンに求められるスプリント能力やスピードスキルを提供している。
　また、運動会対策のかけっこクラス、幼児体育クラスなど、基礎的な指導も行う。
　現在、東京、埼玉、神奈川、千葉、愛知、北海道にてスクールを開校中。

石原 康至(いしはら やすし)
スプリントスクール「石原塾(いしはらじゅく)」代表(だいひょう)

1969(昭和44)年8月9日、東京都足立区生まれ。城西大学経済学部卒業。27歳で陸上競技の現役を引退し、指導者の道へ入る。城西大学陸上競技部のコーチなどを歴任し、現役中にアメリカで習得したトレーニング方法をもとに、2011(平成23)年にスプリントスクール「石原塾」を開校。現在、幼児〜中学生までを対象に各地でスクールを展開。

お問(と)い合(あ)わせ

スプリントスクール「石原塾(いしはらじゅく)」

〒332-0016 埼玉県川口市幸町2-2-16-3F
TEL 0120-229-108 / FAX 048-229-1715
受付時間 10:00〜16:00(土曜・日曜・祝日を除く)
URL http://ishiharajyuku.com/

すべての動画(どうが)を見(み)たいときは下(した)のQRコードやURLをご利用(りよう)ください。

動画付き改訂版
ジュニアアスリートのための走り方の強化書 スポーツに活きる走力アップのコツ
https://youtu.be/gLuFSn3UHss

監　修

石原康至（スプリントスクール「石原塾」代表）

デザイン

白土朝子

編　集

山川英次郎、高橋淳二・野口武（以上　有限会社ジェット）

撮　影

今井裕治

ＤＴＰ

センターメディア

動画付き改訂版
ジュニアアスリートのための走り方の強化書
スポーツに活きる走力アップのコツ

2023 年 8 月 5 日　第 1 版・第 1 刷発行

監修者　石原康至（いしはら　やすし）
発行者　株式会社メイツユニバーサルコンテンツ
　　　　代表者　大羽孝志
　　　　〒102-0093 東京都千代田区平河町一丁目1-8
印　刷　株式会社厚徳社

◎「メイツ出版」は当社の商標です。

●本書の一部、あるいは全部を無断でコピーすることは、法律で認められた場合を除き、著作権の侵害となりますので禁止します。
●定価はカバーに表示してあります。
Ⓒ山川英次郎,ジェット,2019,2023.ISBN978-4-7804-2807-0 C2075 Printed in Japan.

ご意見・ご感想はホームページから承っております。
ウェブサイト https://www.mates-publishing.co.jp/

企画担当：千代　寧

※本書は 2019 年発行の『ジュニアアスリートのための走り方の強化書　スポーツに活きる走力アップのコツ 55』を元に加筆・修正を行い、動画の追加、書名・装丁を変更して新たに発行したものです。